HE !
GANT...

EEH...
TU POURRAIS
M'ATTENDRE !
LAISSE-M'EN
LA MOITIÉ
POUR TOUT
À L'HEURE.

EUH...

JE VAIS
MANGER CE
PUDDING
TOUTE
SEULE...

JE NE
SAIS PAS,
JE LE TENAIS
DANS LA MAIN
LORSQUE
JE ME SUIS
RÉVEILLÉE.

AU FAIT,
OÙ AS-TU
TROUVÉ CE
PUDDING ?

TU L'AS
ACHETÉ ?

* NIJI PUDDING.

HEIN
...?

DEADMAN WONDERLAND
MANGA DE JINSEI KATAOKA ET KAZUMA KONDOU

DEADMAN WONDERLAND

Volume 4

TABLE DES MATIÈRES

Manga de JINSEI KATAOKA et KAZUMA KONDOU

Book design par Tsuyoshi Kusano

ALLEZ, ALLEZ...

CE N'EST POURTANT PAS LE MOMENT D'AVOIR DES PROBLÈMES.

ÇA RISQUERAIT DE PERTURBER MON PLAN.

KRAK
コキ...

C'EST L'AMIE DE GANTA, JE PENSE DONC QU'IL N'Y A RIEN À CRAINDRE.

ROKURO, REGARDE-LA BIEN, C'EST ELLE QUI A FICHU UNE RACLÉE À GENKAKU.

ÇA IRA, ON SE DÉBROUIL-LERA.

...

HE HE...

TON OPTIMISME ME SURPRENDRA TOUJOURS.

PEUH...

MGN

...?

JE VEUX MON GOÛTER...

... ET JE VEUX AUSSI CE GROS TRUC ROND QUI BRILLE !

VOYONS... ON A DU THÉ ORDINAIRE, DU THÉ VERT ET DU THÉ DE BLÉ...

DIS-MOI SI QUELQUE CHOSE TE FERAIT PLAISIR.

MIEUX.

DITES-MOI, COMMENT VA YÔ ?

?

UN REBUS...?

un ours, peut-être...?

IL VAUDRAIT MIEUX LE LAISSER DORMIR UN MOMENT.

JE VIENS DE LUI DONNER UN ANALGÉSIQUE ET UN TRANQUILLISANT.

VOUS PENSEZ ?

ET VOILÀ !

TADAAAM

WAOUH !

GÉNIAAAAL !

MAIS SI TU N'AS PAS DE POUVOIRS, ÇA VEUT DIRE QUE TU VIENS DE LA ZONE "OFFICIELLE" DE DW, C'EST ÇA ?

HEIN ?

J'AI VU L'ENREGIS-TREMENT DES CAMÉRAS DE SURVEIL-LANCE.

J'AI VU CE MOINE DE MALHEUR REPARTIR EN PLEURNICHANT COMME UN GAMIN.

Il ne me reste plus qu'à rentrer chez moi pour célébrer en secret pour le repos de ton âme.

Je m'en fiche complètement.

Ça n'est que du lait avec des fruits...

TIENS, JE TE L'OFFRE.

J'AI TOUJOURS HABITÉ ICI, C'EST CHEZ MOI...

"CHEZ TOI" ? TU ES LÀ DEPUIS SI LONGTEMPS QUE ÇA ?

C'EST DUR...

TU TROUVES ?

TOUT LE MONDE ICI SEMBLE HYPER-DÉTENDU.

COMMENT DIRE ?

HA HA !

PELIT-ÊTRE, MAIS CE N'EST QU'UNE APPARENCE.

DW EST UNE PRISON PRIVÉE.

JE VOIS, C'EST LA PREMIÈRE FOIS QUE TU FAIS ÇA ?

UNE INSPECTION DES NORMES DE SÉCURITÉ EST APPLIQUÉE À L'ÉCHELLE NATIONALE. ELLE A LIEU UNE FOIS PAR AN ET DURE UNE SEMAINE.

TOUT ME LAISSE PENSER QUE CE RENARD DE TAMAKI NE LAISSERA PAS L'ÉQUIPE D'INSPECTION PARTIR AVEC UN RAPPORT QUI POURRAIT L'ACCABLER. QU'EN DIS-TU ?

SI NOUS NE PARVENONS PAS À METTRE LA MAIN SUR LES INFORMATIONS QUI ONT ÉTÉ DÉTOURNÉES, NOTRE AVENIR ICI SERA COMPROMIS.

JE COMPTE SUR TOI.

ON VA VRAIMENT FAIRE ÇA...?

CE N'EST PAS TRÈS RÉGLO POURTANT...

D'AC-CORD !

SI VOUS ME LE DEMANDIEZ, JE CROIS MÊME QUE JE SERAIS CAPABLE DE TROUVER QUI ÉTAIT LA PREMIÈRE PETITE AMIE DE TAMAKI !

JE N'EN DEMANDE PAS AUTANT !

TOUT VA SE JOUER PENDANT LA SEMAINE D'INSPECTION.

LES RESPONSABLES FERONT TOUT POUR MONTRER QUE DW EST UNE STRUCTURE ABSOLUMENT IRRÉPRO-CHABLE.

PENDANT CE TEMPS, IL N'Y AURA AUCUNE REPRÉSENTATION VIOLENTE À L'INTÉRIEUR COMME À L'EXTÉRIEUR DE DW.

CINQ MINUTES AVANT D'AGIR, NOUS ACTIVERONS LES ALARMES À PLUSIEURS ENDROITS.

NOUS PROFITERONS DE LA CONFUSION POUR NOUS SÉPARER EN DEUX ÉQUIPES ET COMMENCER L'OPÉRATION.

... NOUS NOUS SOMMES ASSURÉ L'AIDE D'UN MEMBRE DE L'ÉQUIPE D'INSPECTION.

POUR CE QUI EST DE TAMAKI ET DU PORTAIL PRINCIPAL DE DW...

LORS DE CETTE MISSION, NOTRE RÉEL PROBLÈME SERA LES CROQUE-MORTS.

LES CROQUE QUOI ?!

RIEN NE DIT QU'ON PUISSE LES NEUTRALISER !

NOTRE PLAN A DEUX OBJECTIFS...

LA PRISE DE LA TOUR DE CONTRÔLE DU SECTEUR G ET...

... LE BLOCAGE DU MONTE-CHARGE QUI DONNE ACCÈS AU DÉPÔT DE MATÉRIEL.

16

OUI...

TU EN AS RENCONTRÉ UN AUJOURD'HUI, IGARASHI.

...?

EN FAIT, PARMI LES PIRES CRIMINELS, ET NOTAMMENT CEUX DONT LE CAS A ÉTÉ JUGÉ DÉSESPÉRÉ...

... UNE PETITE PARTIE A ÉTÉ SÉLECTIONNÉE POUR SUIVRE UN PROGRAMME SPÉCIAL DE RÉHABILITATION.

CES CRIMINELS FORMENT ACTUELLEMENT UN GROUPE DIRIGÉ PAR TAMAKI...

C'EST POUR ÇA QUE MON POUVOIR N'A PAS EU D'EFFET SUR LUI...!

CE MOINE...

LA PATROUILLE ANTI-DEADMEN...

...!

JE N'AURAIS JAMAIS CRU CELA POSSIBLE !!

ILS ONT ÉTÉ ENTRAÎNÉS POUR S'OPPOSER À NOUS...

NOS POUVOIRS NE FONCTIONNENT PAS ?

?!

ZAW

TTH

フッ

PAASH

BEN OUI...

EEH...

SI TU PARLES DE L'ENREGISTREMENT DE LA CAMÉRA DE SURVEILLANCE DU SECTEUR G QUE J'AI DÉTOURNÉ...

ROKURO, TU N'AS AUCUNE VIDÉO ?

MOI NON PLUS, JE N'AI PAS BIEN VU...

SI C'EST VRAI, ALORS ON EST EN GRAND DANGER.

À CE MOMENT-LÀ, JE M'OCCUPAIS DE YÔ, CAR IL ÉTAIT BLESSÉ...

TU EN ES SÛR ?

BIP

15:08:1 PLAY

HA HA HA HA

は は は

EH BIEN, JE SUIS RASSURÉ. TU AS DÛ TE TROMPER, MON VIEUX.

TU DEVAIS ÊTRE BOURRÉ...

LÀ, C'EST TOI QUI ES SAOUL !

HEIN...?!

JE CROIS QU'ON NE PEUT PAS TE FAIRE CONFIANCE.

HA...

M'ENFIN...

J'AI DIT LA VÉRITÉ...

...!

UN GAMIN COMME TOI N'A PAS SA PLACE PARMI NOUS.

JE NE VOIS PAS POURQUOI ON T'INTÉGRERAIT DANS LA RÉALISATION DE NOTRE PLAN.

GANTA...

HA HA HA

ROKURO, J'TE TROUVE UN PEU DUR, QUAND MÊME.

C'EST BON, JE VAIS LUI PARLER.

NAGI...

BATAM

IMAGINEZ UN INSTANT QU'IL DÉCIDE DE NOUS VENDRE.

HÉ ! ÇA CRAINT !

OUI, C'EST ÇA...

POSEZ CES QUILLES ICI.

JE N'Y CROIS PAS... JE NE M'ATTENDAIS PAS DU TOUT À ÇA.

CE MONDE
M'APPARTIENT...

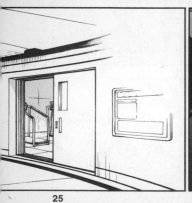

JE LES CONNAIS, MAIS QU'EST-CE QUE TU LEUR VEUX ?

LES CROQUE-MORTS ?

OUI...

ON DIRAIT QUE T'AS OUBLIÉ QUE RIEN NE POUVAIT ME RÉSISTER ! NOTRE POUVOIR EST INFAILLIBLE.

HEIN ?

... EST-CE QU'ON PEUT S'EN SERVIR CONTRE EUX ?

NOTRE POUVOIR...

SHPAAAM

J'AI DÛ RÊVER...

JE N'EN DOUTE PAS, MAIS...

... TOUT S'ÉTAIT VOLATILISÉ...

!

GANTA...

...?!

TU...

T'ES DÉGUEULASSE ! TU NE PENSES QU'À TOI !!

NE ME DIS PAS QUE TU T'ES BATTU CONTRE UN CROQUE-MORT !

EUH... SI...

BEN...!!

BEN... FAUT DIRE QUE NAGI ÉTAIT LÀ ET QUE TOUT EST ALLÉ TRÈS VITE.

DIS-TOI BIEN QUE TU N'ES PAS LE SEUL À AVOIR ENVIE DE TE FAIRE LES CROCS !

T'AURAIS QUAND MÊME PU ME DIRE QUE TU ALLAIS TE BATTRE !!

NAGI...

TU VEUX PARLER DU HIBOU.

ÇA REMONTE À DEUX ANS...

CE MEC EN VEUT À MORT AUX CROQUE-MORTS.

HEIN ?

IL DUT SE SOUMETTRE AU JEU DE LA SANCTION ET PERDIT SES CORDES VOCALES.

POUR LUI, LE MATCH AVAIT ÉTÉ TRUQUÉ. DU COUP, IL SANCTIONNA ÉGALEMENT LA NANA DE NAGI.

MAIS VOILÀ, TAMAKI N'A PAS TENU SA PROMESSE.

OR, ELLE REFUSA DE SE LAISSER FAIRE ET TENTA DE S'ÉCHAPPER...

G
5580

OH !

DÉSOLÉ, J'ME SUIS INCRUSTÉ.

IGARASHI, POUR TOUT À L'HEURE...

ON M'A RACONTÉ CE QUI T'EST ARRIVÉ AVEC LES CROQUE-MORTS ET...

... JE COMPRENDS TOUT À FAIT QUE TU VEUILLES TE VENGER.

JE TE DEMANDE DE M'EXCUSER.

J'AI LE SENTIMENT QUE TES MEMBRES DE SCAR CHAIN SONT PLUS À PLAINDRE QUE MOI.

COMMENT DIRE ?

MOI AUSSI... JE SUIS LÀ POUR ME VENGER, MAIS PAS DES CROQUE-MORTS.

C'EST L'IMPRES-SION QU'ON DONNE, MAIS À L'INTÉRIEUR, ON EST TOUS TERRIFIÉS.

...

HA HA !

DÉSOLÉ D'AVOIR DIT QUE VOUS VOUS LA COULIEZ DOUCE...

34

HUM...

EH BIEN, EN CE QUI ME CON- CERNE...

... SACHEZ QUE L'ENFANT QUE MA FEMME A MIS AU MONDE SE TROUVE DANS UNE STRUCTURE POUR ORPHELINS, HORS DE CETTE PRISON...

J'AIMERAIS POUVOIR SERRER CET ENFANT DANS MES BRAS.

ÇA PEUT PARAÎTRE PEU DE CHOSE ET ENNUYEUX, MAIS...

C'EST TOUT.

... MOI, C'EST COMME ÇA QUE JE VOIS LA LIBERTÉ.

QUELLE QUE SOIT L'IMPORTANCE DES OBJECTIFS, TOUT LE MONDE SE BAT POUR LA LIBERTÉ.

ET TANT QU'ON GARDE ESPOIR...

... JE N'AI RIEN COMPRIS.

HAAAA...

NE M'EN VEUX PAS, MAIS...

HA HA...

C'QUE J'SUIS BAVARD !

QU'EST-CE
QUE LA
LIBERTÉ
SELON
MOI...?

...

J'AIMERAIS
FAIRE
TELLEMENT
DE CHOSES...

LA
PRÉLIVE...

SI L'HOMME
EN ROUGE
APPARAISSAIT
DEVANT MOI...

JE NE
PEUX
PAS DIRE
QUE JE
N'AI PAS
PENSÉ...

... À ME
VENGER.

HAP

MGN...

QU'EST-
CE QUE
TU AS,
GANTA ?

SHIRO...

EUH...
RIEN.

BISSSH

HUM...

JE NE TE PARLE PAS DE NOUR-RITURE...

J'AIMERAIS MANGER DES TAS DE TRUCS...

Y A-T-IL QUELQUE CHOSE QUE TU VEUILLES FAIRE ?

OU QUELQUE CHOSE QUE TU VEUILLES À TOUT PRIX ?

En plus, tu ne m'as même pas laissé de pudding

HÉ HÉ HÉ

ET ENSUITE... ET...

UN TRUC QUI BRILLE...?

ET QUI TOURNE...?

...?

LE TRUC QUI TOURNE...

J'AIMERAIS AVOIR CE GROS TRUC QUI BRILLE, DEHORS.

KABAD

HEIN ?

TU VEUX PARLER DE LA GRANDE ROUE ?

ON PEUT MONTER À L'INTÉRIEUR ?!

TU N'Y ES JAMAIS MONTÉE ?

JE VEUX Y MONTER ! JE VEUX ÊTRE À L'INTÉRIEUR !!

COMMENT SE FAIT-IL QUE TU NE CONNAISSES MÊME PAS ÇA ?

BEN OUI ! C'EST FAIT POUR ÇA !

LES DÉTENUS N'Y SONT PAS AUTORISÉS...

TU SAIS TRÈS BIEN QUE CE N'EST PAS POSSIBLE, C'EST UNE ATTRACTION RÉSERVÉE AU PUBLIC DE DEADMAN WONDERLAND.

?

...

AH BON.

ON MONTERA À L'INTÉRIEUR LORSQU'ON SERA SORTIS D'ICI ?

TU SERAS AVEC MOI ?!

C'EST VRAI ?!

HÉ HÉ...

GÉNIAAAAL !

OUI.

ALLEZ, IL FAUT DORMIR, MAINTENANT.

On va se faire repérer...

NE FAIS PAS AUTANT DE BRUIT !

PROMETS-LE-MOI ! PROMETS-LE !!

MA GRATTE N'EST PAS ENCORE RÉPARÉE...! JE COMMENCE À EN AVOIR ASSEZ DE JOUER DANS LE VIDE !

PURÉE...

EH BIEN, ARRÊTE ! TU ME DÉCONCENTRES !

JE N'ARRIVE PAS À FINIR MES DEVOIRS.

EXERCICES DE CALCUL
NIVEAU CE...
10-5-7×30

...EST-ELLE DANS LE CAMP DU HIBOU ?

PURÉE... CETTE BLONDASSE...

IL S'EST RAMOLLI, LUI AUSSI...

EH BIEN, TU N'AS QU'À TROUVER QUELQU'UN À CHÂTIER !

HA...

TU CROIS ÇA ?

ALORS, JE VAIS BIENTÔT POUVOIR CHÂTIER QUELQU'UN ?

EAD DEAD DEAD DE
MAN MAN MAN
DER LAND WONDER LAND WONDER LAND WOND
EAD DEAD DEAD DE
MAN MAN MAN
DER LAND WONDER LAND WONDER LAND WOND
EAD DEAD DEAD DE
MAN MAN MAN
DER LAND WONDER LAND WONDER LAND WOND
EAD DEAD DEAD DE
MAN MAN MAN
DER LAND WONDER LAND WONDER LAND WOND
EAD DEAD DEAD DE
MAN MAN MAN
DER LAND WONDER LAND WONDER LAND WOND
EAD DEAD DEAD DE
MAN MAN MAN
DER LAND WONDER LAND WONDER LAND WOND

DIX ANS SE SONT ÉCOULÉS DEPUIS LE MYSTÉRIEUX TREMBLEMENT DE TERRE DE TOKYO.

À PRÉSENT, DANS LA RÉGION ALENTOUR, IL NE RESTE PLUS QUE DES PETITES ÎLES ÇÀ ET LÀ, CONSIDÉRÉES COMME DES VESTIGES DE L'ANCIENNE CAPITALE.

LES DIRIGEANTS DU PAYS SE SONT ÉTABLIS À SHIZUOKA ET EN ONT FAIT LA NOUVELLE CAPITALE.

LA CAPITALE DU PAYS A ÉTÉ COMPLÈTEMENT RAYÉE DE LA CARTE.

... LA CRIMINALITÉ NE CESSAIT D'AUGMENTER.

À L'ÉPOQUE, DANS LES RÉGIONS SINISTRÉES, LES MISSIONS DE RAVITAILLEMENT ET DE SAUVETAGE ÉTAIENT PARTICULIÈREMENT DIFFICILES, ET...

GRÂCE AU PROJET DE RECONSTRUCTION DE TOKYO LANCÉ EN 2017...

... LE JAPON A VU SES PREMIÈRES STRUCTURES PÉNITENTIAIRES PRIVÉES COMME DEADMAN WONDERLAND.

AUJOURD'HUI, LA QUESTION DU BIEN-FONDÉ DE CETTE STRUCTURE SE POSE.

Épisode 14 – RAPPELLE-LUI

ENCORE
UNE FOIS
CETTE ANNÉE,
UNE DÉLÉGATION
GOUVERNEMENTALE
EST SUR LE POINT
DE COMMENCER
SON TRAVAIL
D'INSPECTION.

LE DERNIER JOUR AURA LIEU UNE CÉRÉMONIE COMMÉMORATIVE DU GRAND CATACLYSME QUI A DÉTRUIT TOKYO...

L'INSPECTION DURERA UNE SEMAINE.

C'EST PLUTÔT BIEN, NON ?

UNE CÉRÉMONIE...

CE SERA UN GRAND JOUR POUR NOUS AUSSI.

SHRAK

LA CÉRÉMONIE DE DESTRUCTION DE DW !

NOUS AVONS CRÉÉ SCAR CHAIN ENSEMBLE.

JE...

JE NE T'AI JAMAIS DEMANDÉ QUELLE ÉTAIT TA CONCEPTION DE LA LIBERTÉ.

CE QUI ME PRÉOCCUPE, C'EST QUE TU N'ES LÀ QUE POUR MOI...

LA LIBERTÉ...

ALLEZ, IL EST TEMPS DE REVOIR NOTRE PLAN...

AH BON...

AH !

...

JE NE TE LE DIRAI JAMAIS !

VU QUE TU ES NOUVEAU PARMI NOUS, TU RISQUES D'AVOIR BEAUCOUP D'INFORMATIONS À ASSIMILER ; JE NE VOIS DONC AUCUN INCONVÉNIENT À CE QUE TU PRENNES DES NOTES.

TOUTE-FOIS, LORSQUE TU AURAS TOUT RETENU, TU DEVRAS T'EN DÉBARRAS-SER.

BON, REVOYONS LES POINTS IMPORTANTS DE L'OPÉRATION !

D'UN SEUL COUP, NOUS ALLONS RÉVÉLER AU RESTE DU MONDE L'ABSURDITÉ DE CETTE PRISON, MAIS AUSSI LES IRRÉGULARITÉS AU NIVEAU DE LA DIRECTION.

VITRE PARE-BALLES

ASCENSEUR

PORTE D'ASCENSEUR

EN FAIT, LE POINT ESSENTIEL DE CETTE OPÉRATION N'EST PAS NOTRE ÉVASION DE LA PRISON.

GLURPS

IL FAUDRAIT DES INFORMATIONS PROUVANT LES NOMBREUX ACTES ILLÉGAUX DE TAMAKI...

ET POUR RÉUSSIR CELA, LE PLUS IMPORTANT EST DE TROUVER...

... DES PREUVES !

JE PENSE QUE TOUTES CES INFOS DEVRAIENT LARGEMENT SUFFIRE POUR RÉUSSIR À DÉTRUIRE CETTE PRISON DE MALHEUR.

... DES INFORMATIONS NOUS CONCERNANT, NOUS, LES DEADMEN.

P\K...

ROKURO...

VOILÀ NOTRE ULTIME OBJECTIF.

C'EST LE CONTENU DE CETTE CARTE QU'IL FAUDRA RENDRE PUBLIC.

J'AIMERAIS QUE CETTE OPÉRATION RÉUSSISSE...

NOUS ALLONS TOUT D'ABORD NOUS SÉPARER EN DEUX ÉQUIPES, ET CE JUSQU'AU POINT A.

BUTOIR DU MONTE-CHARGE

ASCENSEUR PARE-BALLES

ÉCRAN

GROUPE ÉLECTROGÈNE

MONTE-CHARGE

HAUTE CAPACITÉ

TUYAUX D'ÉCHAPPEMENT

ELLE AMÈNERAIT CE BINOCLARD DE MALHEUR ET L'HOMME EN ROUGE À SE MONTRER...

ET CE N'EST PAS TOUT...

JE DOIS AUSSI TENIR LA PROMESSE FAITE À SHIRO...

ALLEZ, C'EST PARTI...

POUR LA LIBERTÉ...

TOUS CONTRE UN...

POUR TOUTES NOS SOUFFRANCES...

POUR BRISER LES CHAINES QUI NOUS RETIENNENT, NOUS DEVONS...

... AGiiiR !

ALERTE DANS LE SECTEUR 33 ?

?

BIIIP

BIIIP

BIIIP

BIP!

WARNING

WARNING

WARNING

BIP!

WARNING

WARNING

BIP!

WARNING

BIP!

WARNING

BIIIP

?!

* ALERTE.

DITES AUX CROQUE-MORTS QUE NOUS AVONS DE SÉRIEUX PROBLÈMES, ICI !

APPELEZ VITE DU RENFORT !

G-3368

BIIIP

BIIIP

NOUS AVONS BESOIN D'ASSIS-TANCE SUR-LE-CHAMP !

LA SITUATION EST CRITIQUE !

ROY-72, NITOFF, QUE SE PASSE-T-IL ?

BIIIP

64

BIEN JOUÉ !

TOUP
チャ...

QUELQUE CHOSE NE VA PAS ?

VOTRE MON-TRE...

PAS DE PROBLÈME À L'HORIZON.

TOUT SE PASSE COMME PRÉVU...

J'ESPÈRE QUE KARAKO VA BIEN...

... NOUS BATTRE CONTRE CES TYPES.

ALLEZ, NOUS ALLONS DEVOIR...

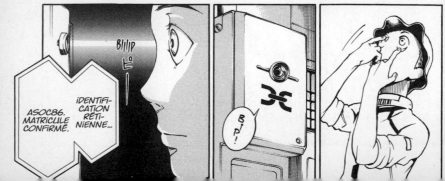

BLLIP

ASOC86. MATRICULE CONFIRMÉ.

IDENTIFICATION RÉTINIENNE...

BIP !

BON BOULOT, LES GARS. LE MOMENT EST VENU D'Y ALLER.

GRO0O000

ON EST UN PEU EN RETARD... FAUT SE DÉPÊCHER.

TIMING ?

JE N'AI PAS L'INTENTION DE REVENIR.

ILS NE S'ENCLEN-CHERONT QUE SI LA LIMITE DE POIDS EST DÉPASSÉE.

APRÈS CETTE LIGNE, LE SOL EST POURVU DE DÉTECTEURS DE PRESSION.

SLUP

MAIS...

... LE PROBLÈME EST QU'ON NE PEUT PASSER QU'UN À LA FOIS.

COMMENT VA-T-ON FAIRE ?

LA PASSERELLE VA S'EFFONDRER...

!

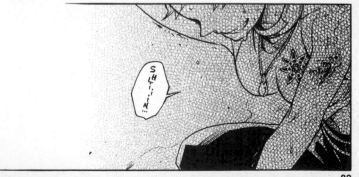

CETTE NANA EST COMPLÈTEMENT MALADE.

SHLLIN

ON RISQUERAIT D'ÊTRE MOUILLÉS JUSQU'AU COU...

IMAGINE QU'ELLE NOUS ENTENDE...

DE PLUS, ELLE EST COMPLÈTEMENT HYSTÉRIQUE. SI TU VEUX RESTER EN VIE, NE L'APPROCHE PAS.

FAIRE ÉQUIPE AVEC CETTE TIMBRÉE ?

CE N'EST QU'UNE CLOCHETTE...

NON...

QUEL SON MÉLODIEUX...!

SHLLIN

TANT QUE JE L'ENTENDRAI, JE SAURAI QUE MON AMIE EST TOUT PRÈS DE MOI.

POUR MOI, C'EST LE SON D'UNE AMIE QUI COMPTE BEAUCOUP.

... J'AI LE SENTIMENT QUE MÊME DANS CES SOUS-SOLS...

LORSQUE JE L'ENTENDS...

... LE SOLEIL BRILLE DE MILLE FEUX.

IMBÉCILE...

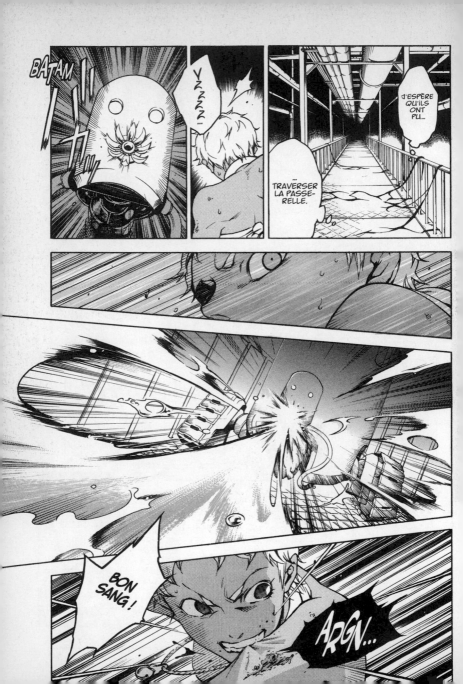

J'ESPÈRE QUE KARAKO...

... VA BIEN.

ON NE PEUT PLUS RECULER.

LES CROQUE-MORTS SAVAIENT DEPUIS LE DÉBUT QUE NOUS ÉTIONS LÀ.

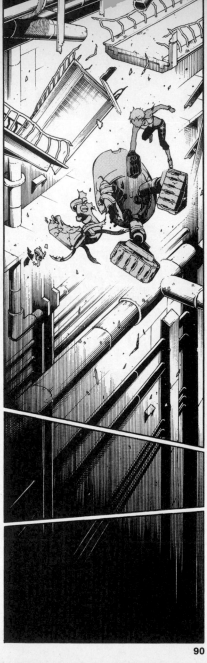

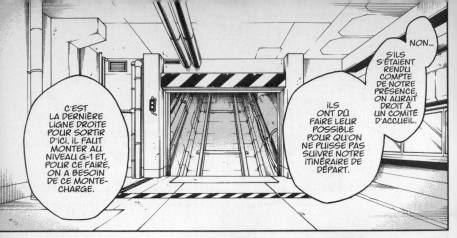

C'EST LA DERNIÈRE LIGNE DROITE POUR SORTIR D'ICI. IL FAUT MONTER AU NIVEAU G-1 ET, POUR CE FAIRE, ON A BESOIN DE CE MONTE-CHARGE.

ILS ONT DÛ FAIRE LEUR POSSIBLE POUR QU'ON NE PUISSE PAS SUIVRE NOTRE ITINÉRAIRE DE DÉPART.

NON...

S'ILS S'ÉTAIENT RENDU COMPTE DE NOTRE PRÉSENCE, ON AURAIT DROIT À UN COMITÉ D'ACCUEIL.

... NE FONCTIONNERA QUE SI NAGI L'ACTIVE DE LA SALLE DE CONTRÔLE.

CE MONTE-CHARGE...

SALLE DE CONTRÔLE
ACCÈS INTERDIT AUX PERSONNES ÉTRANGÈRES AU SERVICE

... ÇA VOUDRA DIRE QUE NAGI ET LES AUTRES ONT RÉUSSI.

TOUT À FAIT.

SI ON PEUT S'EN SERVIR...

HA...

TOUT VA BIEN, ROKURO ?

OUI.

HA...

TCHIP

DANS CE CAS, JE TE LAISSE T'OCCUPER DU MONTE-CHARGE...

...?

TCHIP

TCHIP

92

EXCUSE-MOI, MAIS JE VAIS TE DEMANDER DE RÉACTIVER LE MONTE-CHARGE.

ROKURO...

JE VOIS QUE TU ES TRÈS SÉRIEUSE, MAIS...

... TU ES EN DANGER ICI...

コキ... カクカク

ALORS LÀ, IL N'EN EST PAS QUESTION !

QUE...? COMMENT ÇA, "PAS QUESTION"...?

EN FAIT,
LE VRAI PLAN,
C'ÉTAIT ÇA...

SHKLOMB

OH !
HISSE !

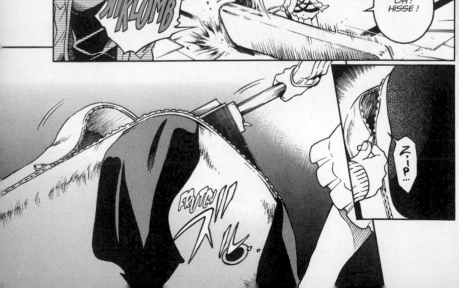

ZIP...

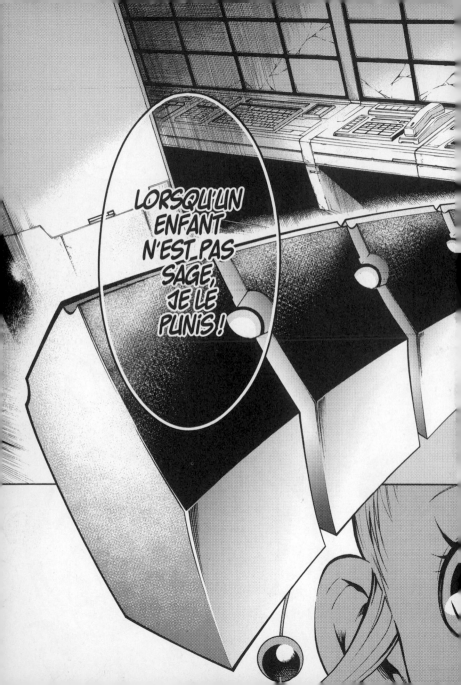

WONDER

DEADMAN WONDER LAND

WONDER

DEADMAN WONDER LAND

WONDER

DEADMAN WONDER LAND

WONDER

DEADMAN WONDER LAND

WONDER

DEADMAN WONDER LAND

WONDER

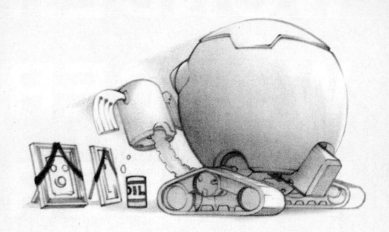

TU AS COMPLÈTEMENT SALI TES DRAPS.
COMME PUNITION, TU DEVRAS REPRENDRE
LA DIX-SEPTIÈME POSITION DE HIZOMORO.

OUI.
JE SUIS DÉSOLÉE.

TU AS RECRACHÉ TES CHAMPIGNONS.
COMME PUNITION, TU DEVRAS REBOUCHER LES
TROIS GOUFFRES DE LA VOIE DE BATTENORÔ.

OUI.
JE SUIS DÉSOLÉE.

Épisode 15
L'HOMME EST UN LOUP POUR L'HOMME

IL Y A TROP DE BRUIT, JE N'ARRIVE PAS À DORMIR.

J'AI FAIM...

OÙ EST GANTA ?

HÉ ! TU NE DOIS PAS TE LEVER !

?

"MAIS
NON..."

PEUH... Décolé...

EN
FAIT...

TU T'INQUIÈTES
PLUS DE LUI QUE
DE TA SŒUR EN
CONVALESCENCE
À QUI TU AS
PIQUÉ LE LIT.

HUM...

JE
N'EN
SAIS
RIEN.

IL T'A
LAISSÉ
EN PLAN,
ON DIRAIT.

DOMMAGE
QUE TU NE
SOIS PAS
UN DEADMAN.

JE
DOIS À
TOUT PRIX
LUI DIRE
QUELQUE
CHOSE...

NE
T'IN-
QUIÈTE
PAS.

JE
VOULAIS
VOIR SI CET
INSECTICIDE
ÉTAIT
VRAIMENT
EFFICACE.

HUM...

EN
D'AUTRES
TERMES,
ÇA LES
NEUTRALISE.

IL OXYDE
INSTANTANÉMENT
LE MYSTÉRIEUX
VER QUI EST
À L'ORIGINE
DE LEURS
POUVOIRS.

MON POUVOIR EST SANS EFFET...!!

?!

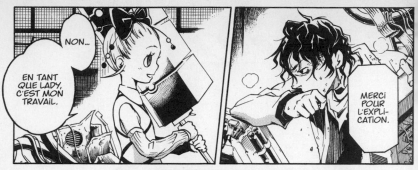

NON...

EN TANT QUE LADY, C'EST MON TRAVAIL.

MERCI POUR L'EXPLICATION.

SURTOUT NE VA PAS T'IMAGINER QU'ON VA TOUCHER AUX INHIBITEURS DE TON CERVEAU POUR REPOUSSER TES LIMITES PHYSIQUES.

T'ES MAL BARRÉ, MON VIEUX !

HYÏNK HYÏNK...

JE DOIS TOUT FAIRE POUR QUE NOTRE OPÉRATION RÉUSSISSE...

POUR MES AMIS...

TU POURRAIS NOUS LAISSER TE METTRE CES MENOTTES, NON ?

JE VEUX AUSSI RÉALISER MON RÊVE...

IL EN MET DU TEMPS...

...

MAIS QU'EST-CE QU'ILS FICHENT ?

LE TEMPS PASSE...

BON SANG...

LE MONTE-CHARGE NE BOUGE PAS...

GRIP

HA...

HA...

ON DIT AUSSI QU'ALBERT EINSTEIN SOUFFRAIT DE DYSLEXIE.

NE T'INQUIÈTE PAS. SUN BIN LUI-MÊME AVAIT LES JAMBES COUPÉES.

HELEN KELLER ÉTAIT AVEUGLE, SOURDE ET MUETTE.

QUANT AU PROFESSEUR HAWKING, IL SOUFFRE DE LA MALADIE DE LOU-GEHRIG.

LES BLESSURES QUE JE VAIS T'INFLIGER NE DEVRAIENT PAS T'OCCASIONNER DE TROUBLES NERVEUX.

PUNCH

C'EST COMME ÇA QUE MA MÈRE M'A ÉDUQUÉE.

TU SERAS BEAUCOUP PLUS BEAU LORSQUE J'AURAI DÉPECÉ TON VISAGE.

EN TANT QUE LADY, C'ÉTAIT MON DEVOIR.

UNE "LADY"...?

C'EST TOI, LA MEURTRIÈRE DES MATERNELLES, CELLE QU'ON APPELAIT "LA PUNISSEUSE"...

...

CA ME REVIENT, MAINTENANT...

TU N'ES QU'UNE PETITE FILLE...

... UNE SALE GOSSE...

C'EST ÇA, TA PUNITION ?

JE SUIS RÉSOLU À ALLER JUSQU'AU BOUT ET CE N'EST PAS EN M'AMPUTANT DE MON BRAS QUE TU RÉUSSIRAS À ME FAIRE CHANGER D'AVIS.

SRATCH

PAS
SI VITE...

!!

QUE
PENSES-
TU DE
MON
ARME ?

TU NE
PEUX
PLUS TE
SERVIR
DE TON
POLIVOIR,
HEIN ?

BROP
!!!

?!

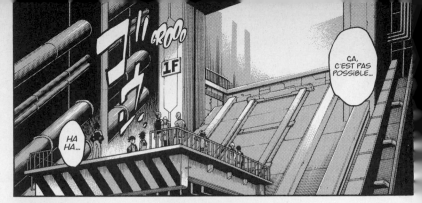

ÇA VOUS DIRAIT D'ÉCOUTER UNE PETITE CHANSON ?

LES CROQUE-MORTS...?!

QUE FONT-ILS LÀ...?

WAAAH!

HI!! GAAAN

C'EST CE MOINE DE MALHEUR...!!

C'EST LUI...

DWONG

Et ça, ce sont mes potes.

LE...

...SUPER-MOINE, TU VEUX DIRE.

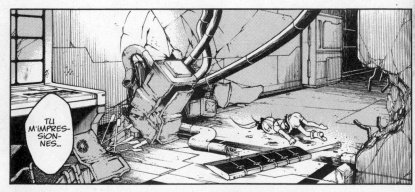

TU M'IMPRES-SION-NES...

...

LES CROQUE-MORTS SONT ALLÉS INTERCEPTER MES AMIS, C'EST ÇA ?

TU N'AVAIS QUASIMENT AUCUNE CHANCE DE BATTRE HIBANA ET D'ACTIVER LE MONTE-CHARGE.

KEUF

CELA DIT, MON JOB, C'EST DE FAIRE EN SORTE QUE VOS CHANCES DE RÉUSSITE SOIENT NULLES.

... MON CLIENT A LE GOÛT DU SPECTACLE.

ALLEZ, JE RECONNAIS QUE ÇA AURAIT PU MIEUX SE PASSER, MAIS...

JE NE FAIS JAMAIS DE PLANS INUTILES.

D'APRÈS TOI, POURQUOI TAMAKI VOUS A-T-IL LAISSER AGIR JUSQUE-LÀ ?

JE NE DOIS PAS LAISSER LA PEUR M'ENVAHIR.

C'EST ÇA...

....

JE DOIS RÉUSSIR. JE DOIS SORTIR DE LÀ...!

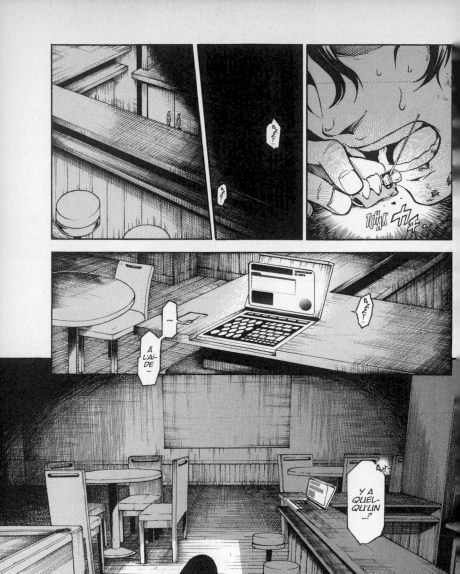

RÉPON-
DEZ...

BZT

Y A
QUEL-
QU'UN
...?

L'HEURE
PASSE...

JE N'AI
TOUJOURS
AUCUNE
DONNÉE.

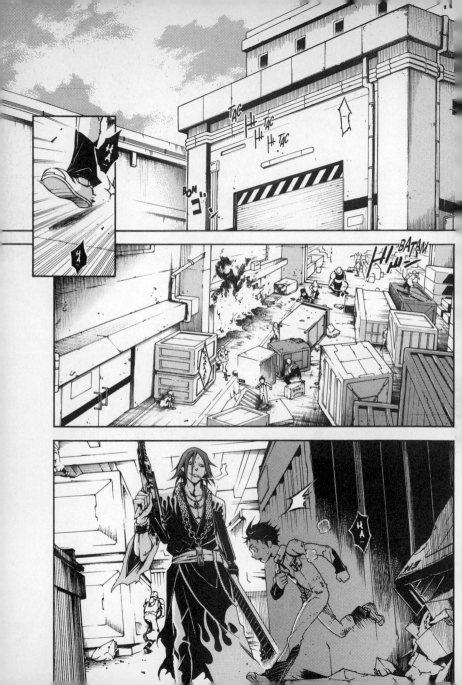

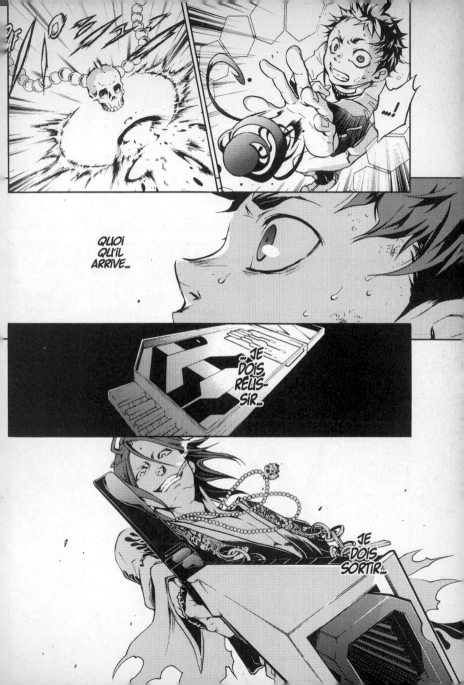

IL EST L'HEURE.

MAÎTRE GENKAKU...

PEUH...

GROOOOOO コ!! ||

ヒイ

VZZZ

?!

ズ ズ SKODOOMB

EH BEN ...?!

LES CROQUE-MORTS...

ILS SONT REPARTIS...!

POUR-QUOI...?

L'ACCÈS AU SECTEUR G S'EST REFERMÉ...!

KRK

D'AC-CORD !

JE NE COM-PRENDS PAS TOUT, MAIS...

... PROFITONS-EN !

QUE TOUS CEUX QUI SONT EN MESURE DE SE DÉPLACER SE BOUGENT !!

#!! Z IV GLUP

143

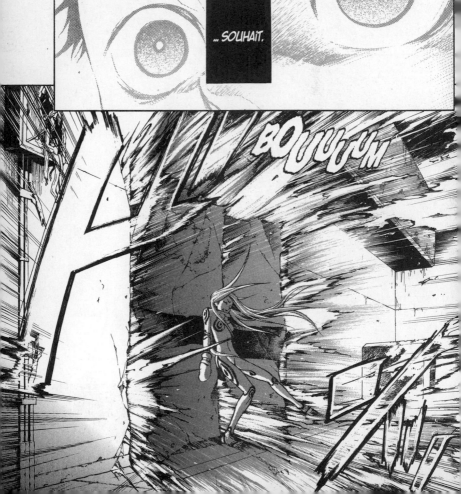

DEADMAN WONDER LAND

DWL

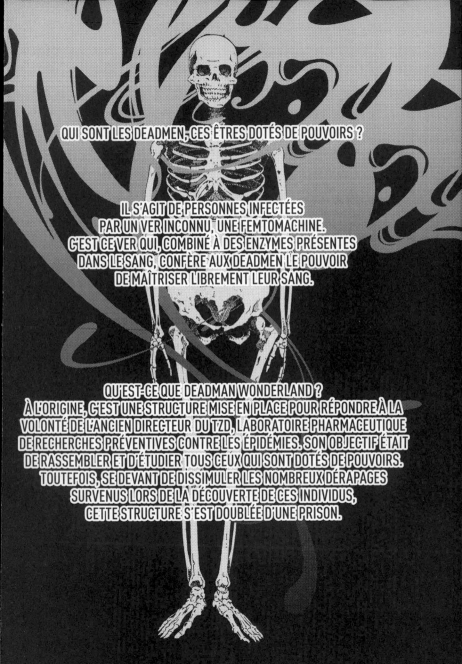

QUI SONT LES DEADMEN, CES ÊTRES DOTÉS DE POUVOIRS ?

IL S'AGIT DE PERSONNES INFECTÉES
PAR UN VER INCONNU, UNE FEMTOMACHINE.
C'EST CE VER QUI, COMBINÉ À DES ENZYMES PRÉSENTES
DANS LE SANG, CONFÈRE AUX DEADMEN LE POUVOIR
DE MAÎTRISER LIBREMENT LEUR SANG.

QU'EST-CE QUE DEADMAN WONDERLAND ?
À L'ORIGINE, C'EST UNE STRUCTURE MISE EN PLACE POUR RÉPONDRE À LA
VOLONTÉ DE L'ANCIEN DIRECTEUR DU TZD, LE LABORATOIRE PHARMACEUTIQUE
DE RECHERCHES PRÉVENTIVES CONTRE LES ÉPIDÉMIES. SON OBJECTIF ÉTAIT
DE RASSEMBLER ET D'ÉTUDIER TOUS CEUX QUI SONT DOTÉS DE POUVOIRS.
TOUTEFOIS, SE DEVANT DE DISSIMULER LES NOMBREUX DÉRAPAGES
SURVENUS LORS DE LA DÉCOUVERTE DE CES INDIVIDUS,
CETTE STRUCTURE S'EST DOUBLÉE D'UNE PRISON.

WAOUH !

LES LUNETTES VOUS VONT TRÈS BIEN, MAKINA.

TU N'AS RIEN TROUVÉ SUR LES ALLÉES ET VENUES DU GRAND PATRON ET DE TAMAKI DANS LEUR CLINIQUE ?

ZUT, J'AU-RAIS PAS DÛ DIRE ÇA !

...

NON ...

... RIEN DU TOUT.

ET TU N'AS RIEN NON PLUS SUR QUELQUE CHOSE AYANT TRAIT À LA RELIGION ?

VOUS ALLEZ REMETTRE ÇA ?

JE N'AR-RIVE...

TU VIENS AVEC MOI.

IL NE NOUS RESTE PLUS QUE CINQ JOURS POUR TROUVER QUELQUE CHOSE.

TAMAKI EST AVEC L'ÉQUIPE D'INSPECTION. PLUS QUE SEIZE HEURES AVANT SON RETOUR.

ホームレスで、ムリよ。

紹介：自身の意識を指定に乗り、オーパーツする能力

ト関で病る

インワンダーランドトは

約70の思力及び放送事的病病が

育と的てる機関である

《彼らの身職活動を自鬼び類く他者事作を起こる・・・

カンワーションとして背景系の形を切る

...PAS À Y CROIRE ET TOI ?

EN ATTENDANT, IL FAUDRA FAIRE PREUVE DE BONS SENS SI ON VEUT TROUVER QUELQUE CHOSE !

PSSSH

HA...

HA...

GANTA...

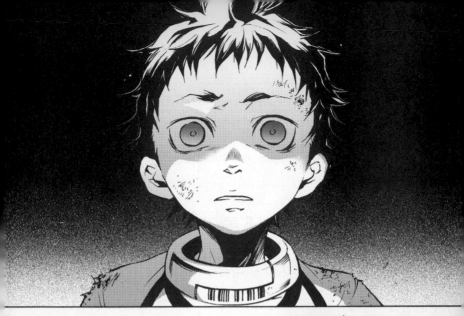

TU ES DE MÈCHE AVEC LES CROQUE-MORTS ?!

JE NE SAIS PAS DE QUOI TU PARLES !

C'EST POUR ÇA QU'ILS NOUS ONT EUS !...

FAUT PAS S'ÉNER-VER !

M'EN-FIN...

QUAND JE SUIS VENUE RETROUVER GANTA, J'AI ENTENDU DES VOIX ET...

BEN...

TU AS DÉTRUIT LA CARTE MÉMOIRE...?!

ZAW H!っ...

MAIS...

QU'AS-TU FAIT ?

TOI...

LA CARTE...

OÙ EST-ELLE ?

EUH...

ET TOUS...

... M'AVAIENT FAIT CONFIANCE.

... L'AVAIT CONFIÉE...

C'EST À MOI...

... QU'ON

NOUS AVIONS PLACÉ NOS ESPOIRS EN TOI...

... IL ÉTAIT BIEN TROP DANGEREUX QUE TU AIES CETTE CARTE MÉMOIRE EN TA POSSESSION.

JE COM- PRENDS, MAIS...

ON SAVAIT TOUS QUE C'ÉTAIT DANGEREUX, ET MOI AUSSI...

DE QUOI TU PARLES ...?

JE NE VOIS PAS CE QUE TU VEUX DIRE !

HEIN ...?!

JE NE VEUX PLUS JAMAIS TE VOIR !

WELCOME TO THE HELL

* BIENVENUE EN ENFER.

...

JE NE PENSE PAS QU'ELLE AIT CHERCHÉ À NOUS FAIRE DU MAL. IL DOIT Y AVOIR UNE RAISON.

QU'EST-CE QUI LUI A PRIS...?

DIX ANS SE SONT POURTANT ÉCOULÉS, MAIS...

... ELLE EST ENCORE PLUS TARÉE QU'AVANT.

ELLE N'EST...

... QU'UNE IDIOTE.

...

PUNAISE...

J'ARRIVE PAS À Y CROIRE.

NON, ON A ENCORE LE TEMPS...

NOTRE PLAN A ÉCHOUÉ EN BEAUTÉ...

LES RESCAPÉS...

... SONT TOUS ICI...

L'ÉQUIPE D'INSPECTION EST ENCORE LÀ.

ON A ENCORE LE TEMPS DE RASSEMBLER DES DONNÉES.

TU N'ES PAS SÉRIEUSE ? LE CHEF N'EST PLUS LÀ...

KARAKO, TU N'Y PENSES PAS...?!

HII ZAW

!

SHHHH

...?

JE SERAIS PRÊTE À PARIER MA VIE LÀ-DESSUS.

JE SAIS QUE NAGI EST ENCORE VIVANT.

CE MOINE DE MALHEUR N'A AUCUNE RAISON DE LE TUER.

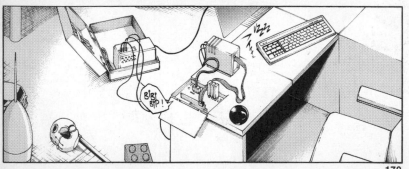

... OÙ ÇA ?

MAIS...

HEIN ?

EEH !

CA CRAINT !

CACHONS-NOUS !

SURPRENANT, CET ASCENSEUR...

JE L'ADORE.

CE BUREAU EST PRIVÉ, NOUS POURRONS PARLER EN TOUTE SÉCURITÉ.

OÙ EN EST LA PRODUCTION EN QUESTION ?

PAS DE PROBLÈME POUR LES POTINS, LES BLAGUES SALACES...

... OU LES SOUVENIRS MOINS AGRÉABLES.

...

LES ÉTUDES SUR LA FAÇON DE SYNTHÉTISER CE VER INCONNU SONT ENCORE EN COURS, MAIS...

... NOUS PENSONS ÊTRE EN MESURE DE PRODUIRE DE NOUVEAUX DEADMEN EN CONTAMINANT DES GENS, GRÂCE AUX VERS QUE NOUS AVONS DÉJÀ.

JE VOIS...

GIUR

TAIS-TOI !

MA-KINA...

...VOS SEINS...

...M'EMPÊ-CHENT DE RESPI-RER !

cela dit, quelle joie !

C'EST LE MINISTRE DE LA DÉFENSE...

UNE PRODUCTION ? UNE CONTAMI-NATION ?

174

KRK

...

BON SANG...

COMMENT A-T-ELLE PU SE PERMETTRE DE ME DIRE ÇA...?

ELLE A TOUT FOUTU EN L'AIR.

"MAIS TU ES SI FAIBLE..."

JE NE VOIS QU'UNE CHOSE ...

... C'EST QUE LES CROQUE-MORTS ÉTAIENT AU COURANT DE NOTRE OPÉRATION.

JE SAIS QUI JE SUIS...

CA NE SERT PLUS À RIEN D'ES-SAYER DE LE SAVOIR.

... SOIT ON A ÉTÉ TRAHIS...

SOIT LES CROQUE-MORTS SONT MEILLEURS QUE JE NE LE PENSAIS POUR RECUEILLIR DES INFOS...

... NOUS NE SOMMES PLUS SUFFISAMMENT NOMBREUX POUR NOTRE OPÉRATION.

LE PRO-BLÈME EST QUE...

...

ET CHOP-PLINE ?

Ouais...

TU PENSES AU COR-BEAU ?

ON A BESOIN DE PUISSANTS COMBATTANTS.

ELLE MANQUE UN PEU DE PUNCH.

Il a un sale caractère...

L'OISEAU MOQUEUR...!

L'OISEAU MOQUEUR

JE ME SENS COMPLÈTEMENT DÉSORIENTÉE...

C'EST VRAI QU'IL EST FORT, UN PEU TROP, À MON AVIS...

!

!!

MOI, JE SUIS TOUJOURS DÉCIDÉ.

JE SUIS PRÊT À ME BATTRE À LEUR PLACE !

HÉ...

C'EST BIEN...

... DE T'INVESTIR COMME ÇA, MAIS...

...

DÉSOLÉE, MAIS... JE SOUHAITERAIS QUELQU'UN DE PLUS EXPÉRIMENTÉ.

ON N'A PLUS DROIT À L'ERREUR...

...

...POURRAS-TU TE MESURER AUX CROQUE-MORTS ?

!

NE DIS PLUS RIEN.

TU BROIES DU NOIR POUR RIEN.

LE PROBLÈME EST QUE...

JE N'AURAIS JAMAIS COMMIS UNE ERREUR PAREILLE...

EH BIEN... ...

...!...

KR.IIII =#!!

TU T'EN ES SORTI !

OÙ EST NAGI ?

PAF

C'EST GÉNIAL...

STAD

ROKURO ...?!

DE QUI TU PARLES ?

QUI A FOUTU MON PLAN À L'EAU...?!

QUI ?!

QUI S'EST RENDU COMPTE QU'IL Y AVAIT UNE BOMBE DANS LA CARTE MÉMOIRE ?!

SH BAAA

...!?!

VOUS NE LE SAVIEZ PAS ?

HEIN ?

C'EST TOI QUI AVAIS MIS AU POINT CETTE CARTE...

MAIS...

... DE QUOI TU PARLES, ROKURO ?

VOUS ÊTES RESTÉS EN VIE ET...

BREF...

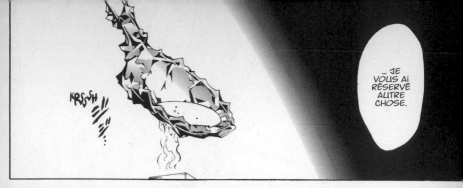

KRSSSH

... JE VOUS AI RÉSERVÉ AUTRE CHOSE.

FAIRE PARTIE DES CROQUE-MORTS ?

TU TE FOUS DE MOI...!

LA PLUPART DES CROQUE-MORTS SONT DES GENS À QUI IL MANQUE UN BOULON.

MAIS AVEC TOI, C'EST PAS PAREIL.

DEUX ANS...?

ÇA FAIT POURTANT DEUX ANS QU'ON TE COURT APRÈS.

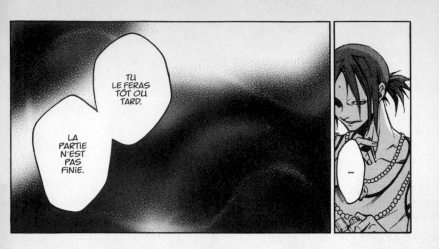

TU LE FERAS TÔT OU TARD.

LA PARTIE N'EST PAS FINIE.

...

VOUS ALLEZ ME SERVIR D'OTAGES.

JUSQU'À CE QUE NAGI CHANGE D'AVIS.

ON LES ÉLIMINERA LES UNS APRÈS LES AUTRES.

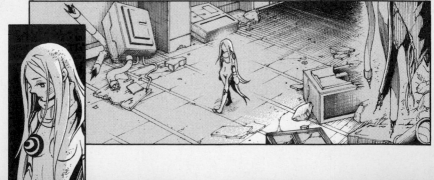

IL FAUT
DÉTRUIRE
IMMÉDIA-
TEMENT
LA CARTE
MÉMOIRE,
SINON...

IL FAUT
LES
AIDER...

C'EST
UN
PIÈGE
TENDU
PAR
ROKURO
...!

Y A
QUEL-
QU'UN
...?

...

HUM...

JE LES AI
POURTANT
SAUVÉS...

EH
BIEN...

... TU DORS
ENCORE ?

PAPiiii...

POUM
POUM

JE NE
VEUX
PLUS
AVOIR
AFFAIRE À
GANTA !

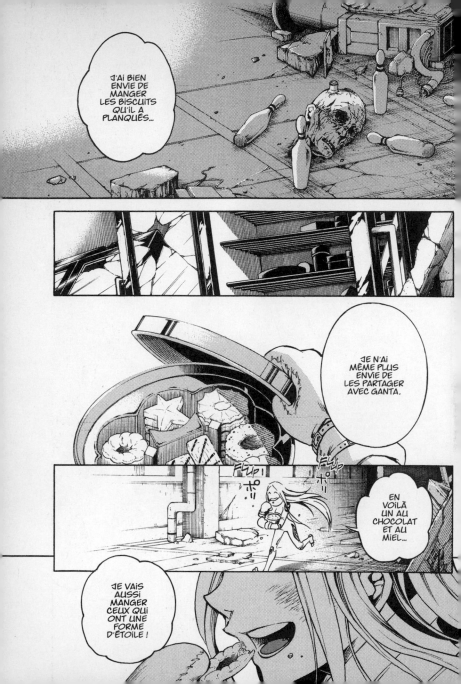

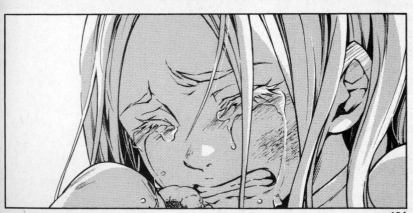

**JINSEI KATAOKA
KAZUMA KONDOU**

STAFF
KARAIKO

SAITANIYA RYÛICHI

SATÔ SHINJI

TAKAHASHI AI

TSUCHIYA TARÔ

NOGUCHI TOSHIHIRO

À SUIVRE...
DANS LE VOLUME 5 !

Ce manga est publié dans son sens
de lecture originale, de droite à gauche.

Ici, vous êtes donc à la fin.

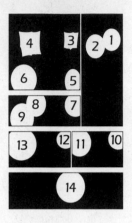

DEADMAN WONDER LAND volume 4

© Jinsei KATAOKA 2008
© Kazuma KONDOU 2008
First published in Japan in 2008 by KADOKAWA SHOTEN Publishing Co., Ltd., Tokyo.
French translation rights arranged with KADOKAWA SHOTEN Publishing Co., Ltd., Tokyo,
through TOHAN CORPORATION, Tokyo.

© KANA (DARGAUD-LOMBARD s.a.) 2011
7, avenue P-H Spaak - 1060 Bruxelles

Tous droits de traduction, de reproduction et d'adaptation strictement réservés
pour la France, la Belgique, la Suisse, le Luxembourg et le Québec.

Dépôt légal d/2011/0086/33
ISBN 978-2-5050-1058-6

Conception graphique : Milk Graphic
Traduit et adapté en français par Guillaume Abadie
Adaptation graphique : Eric Montésinos

Imprimé en Italie par LegoPrint - Lavis (Trento)